Monsieur B

La vérité sur les américains

ALBIN MICHEL

Conception graphique : Luc Doligez
Mise en couleurs : Sophie Dumas

Introduction

Le rêve Américain

"Un cauchemar, oui !!"

José Bové

Angleterre et terres anglaises

"Ils ont les chapeaux ronds..."

Chapi Chapo

L'indé-pendance

"Enfin seul !"

Robinson Crusoë

La conquête de l'Ouest

"À l'ouest ?… j'y suis, j'y reste !"

Tryphon Tournesol

Un peu d'histoire

La guerre de Sécession, etc.

"… a féffé, fa f'est fûr !"

Zezette

L'insécurité

"J'suis l'roi de l'auto-défense !"

Elephant Man

La répression

"Moi ; c'est moi et toi, tais-toi !…
Compris, Bernardo ?"

Zorro

De fil en aiguille

Les dissidents

"Les rebelles et la bête"

Walt – Cocteau

Les valeurs morales

"Les cow-boys ?… De sacrés pistolets !!"

Dieu

La logique Américaine

"Que ceux qui m'aiment
me rejoignent !!"

Re-Robinson Crusoë

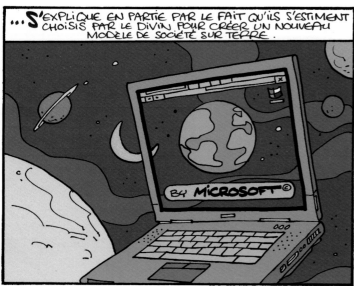

De fil en aiguille

Les Médias

"multi-médias !!"

Bill Gates

L'Américan way of life

"À fond la caisse !"

Ayrton Senna

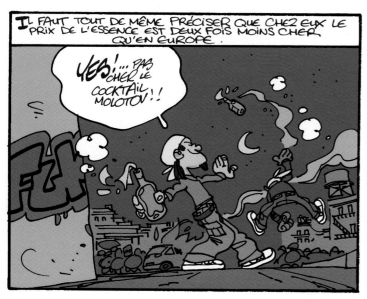

L'alimentation

"Si ! la grande bouffe !"

Marco Ferreri

Sport, loisirs et Cie

"Et 1, et 2, et 3 – zéro !"

L'Équipe de France (siècle dernier)

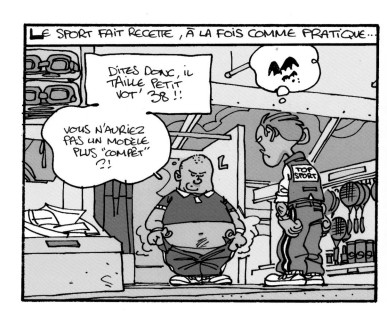

Nos amis

"Tope là !"

La Vénus de Milo

Français et Américains

Des idées qui divergent

"Verge !"

Rocco Siffredi

La mondialisation

"Bassement terre-à-terre !"

La ferme des célébrités

L'anti-américanisme

"Hiroshima mon amour"

Alain Resnais

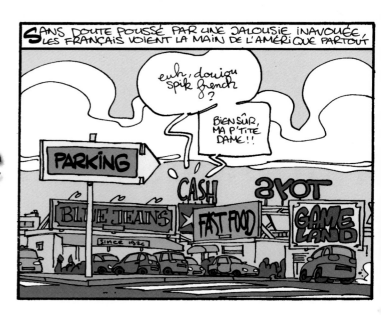

Rester soi-même

"Hélas !"

Quasimodo

L'incom- préhension

"Oups !... Il y a quelque chose qui m'a échappé !"

Le pétomane

Français et Américains

Des points communs

"Les couleurs du drapeau ?"

Benetton

Aux petits oignons

L'image hexagonale

"Touche à tes fesses !"

Mimi Mathy

En voiture Simone !

L'image hexagonale

"Après toi, Garfunkel !"

Simon

L'image hexagonale

La mauvaise foi

"C'est pas moi, c'est lui ! (bis)"

Les frères ennemis

Tous hors la loi

"Surtout les étrangers !"

Nicolas Sarkozy

Les usages en sus

"En sus ?"

Bill Clinton

L'image hexagonale

L'exactitude

"… Hormis quand on fait la grève !"

SNCF

La Family

Nos différences

"Dans ses petits souliers !"

Le Père Noël

Le cursus scolaire

"J'avoue… j'ai eu plusieurs maîtresses !"
Eddy Barclay.

Amicalement vôtre

"Et vive le pote âgé !"

Nicolas le Jardinier

Nos différences

L'amour avec un grand "A"

"Moi, j'ai dû faire avec
mon gros « Q » !"

Maïté

Le boulot

"Logique, on vient juste
de parler de charme !"

Olivier

Terres d'asile

"Vol au-dessus d'un nid de coucou ?!"

Jack Nicholson

Les stéréotypes

"J'en connais un, il est ventriloque !"
Ophélie Winter

À la loupe

Le Frenchie

"Comment ça, « je n'ai rien d'un chevalier » ?"

Maurice Chevalier

Le Yankee

"Il est gonflé !"

Arnold Schwarzenegger

À la loupe

Do you speak english ?

" ... "

Le mime Marceau

L'hygiène

"Qui s'y frotte, s'y cleane !"

Monsieur Propre

À la loupe

Histoire d'art

"De l'art et du cochon !"

Jean-Claude Dreyfus

Tous
ensemble

"Bien obligé !"

Les sœurs siamoises

L'idée qu'on s'en fait

"Ben, faut voir !"

Ray Charles

À bras ouverts

Les uns avec les autres

"Et plus si affinités !"

Madame Claude

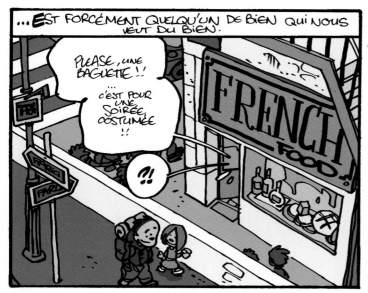

Les uns avec les autres

Un grand voyage

"Et pan dans les dents !"

Kurt Cobain

America
for ever

"À que coucou !"

Johnny Hallyday

Impression : Pollina en avril 2006
SEFAM
22 rue Huyghens. 75014 Paris
N° d'édition : 24400
N° d'impression : L99371
Dépôt légal : avril 2006
ISBN : 2-226-17143-6
Imprimé en France